课间……

>>奇思妙解篇

NAOJINJIZHUANWAN

脑筋急转弯？

心客 编 杨意 耀忠 绘

广州出版社

图书在版编目（CIP）数据

课间十分钟轻松阅读系列/心客编著.—广州;广州出版社，2003.12

ISBN 7-80655-612-5

Ⅰ.课··· Ⅱ.心··· Ⅲ.语文课—阅读教学—小学—课外读物

Ⅳ.G624.233

中国版本图书馆CIP数据核字（2003）第113008号

课间十分钟轻松阅读系列

广州出版社出版发行

(地址:广州市人民中路同乐路10号　　邮政编码:510121)

广州金羊彩印有限公司印刷

开本：880毫米×1230毫米　1/48　印张:32.5

2004年1月第1版　2004年1月第1次印刷

责任编辑：廖红霞　封面设计：成君

ISBN7-80655-612-5/G·192

总定价：58.00元（全套十册）

铁放在外面会生锈，那金子呢？

金子当然不会生锈啦，但是……

北冰洋的夜晚——冷静

北极的另一端——难（南）极

◆**转转转答案：会被偷走。**

谁会把金子放在露天呢？然而，许多比金子还贵重的东西在你身边你也不一定能发现，比如“想像力”。

什么东西薄过纸，却没有人能抬得起或打得烂？

是纳米技术？还是……

歇后语

被封住了嘴巴——出不得声

◆转转转答案：影子。

除了影子，还有别的东西吗？

球赛还没有开始，大家却都知道了比分，为什么？

我猜到啦！我有特异功能！没那么复杂吧？

歇后语

被子里边烂——表面好

◆转转转答案：0比0。

这是大家都知道的常识，因为比赛还没开始。

开心豆在室外，天突然下起了大雨，暴雨疯狂地打在开心豆的脸上和头上。为什么他一点也不害怕，也不找地方避雨呢？

歇后语

被打败的公鸡——垂头丧气

◆转转转答案：因为当时他正在河里游泳。

歇后语

被面补袜子——大材小用

真舒服！真凉快！水位也提高啦！

有一种池子长年没有水，请问那是什么池？

天干旱？自来水公司出了故障？还是……

被窝里划拳——没掺外手

歇后语

被窝里挤眉弄眼——自己糊弄自己

◆转转转答案：电池。

哇塞！没有清水，但里面的电解质也是半液体呀！

胖姐生病了，最怕来探病的人说哪两个字？

我不要“打针”，我最怕那两个字啦！

歇后语

鼻子上挂肉——油嘴

◆转转转答案：保重。

还“保重”？我都快一百八十斤啦！

有一小木块浮在装水的容器中，在不把它往下压、不加重量的情况下，有办法使这小木块往下沉吗？

在“木头”上是没戏唱了，从杯子和水上面想想办法吧！

歇后语

◆转转转答案：在容器底部打洞后，木块就会往下沉。

如果你回答："把水用吸管吸掉"，也算对的，因为题目前没有限定不许"抽水"。

开心豆和开心妹的暑假作业一模一样，老师却并没有批评他们照抄，是怎么回事？

反正我们两个“半斤八两”，谁也别特殊！

◆转转转答案：两个都没做。

果然“一样”哎，处罚也“一样”。

歇后语

鼻子上推小车——走投（头）无路

中国古代人曾将蓝色外衣浸泡于黄河中，结果产生何种现象？

鼻子里插大葱——装象（相）

歇后语

鼻涕流到嘴里——吃亏沾光没外人

◆转转转答案：沾湿。

古代的黄河水是很清的，不会把衣服染上黄色。现代的黄河嘛，水就浑了，但也不能用来染衣服的。

什么东西能将一间屋子装满而人又能在其中活动自如？

装满海绵？泡沫塑料？肥皂泡？还是水？嗨！又不是室内游泳池。

歇后语

鼻梁骨上摆摊子——眼界要放宽

◆转转转答案：空气和阳光。

如果装满水就不能“活动自如”——没法呼吸啦！

何种动物最接近于人类？

宠物猫啦、狗啦，还有猴子什么的，还有……

歇后语

鼻子两旁画眉毛——不要脸

◆转转转答案：寄生于人身上的跳蚤或虱子。

歇后语

笔筒吹火——小气

这么说，还有细菌；肚子里的蛔虫不是更“接近”人了吗？

什么车可以不受交通规则的限制，甚至横冲直撞？

当然是军车啦，警车啦，还有……

歇后语

壁虎捕食——出其不意

◆转转转答案：游乐场的碰碰车。

歇后语

鞭炮店失火——自己恭维自己

执行任务的军车和警车等特种车可以优先通行，但不能横冲直撞。

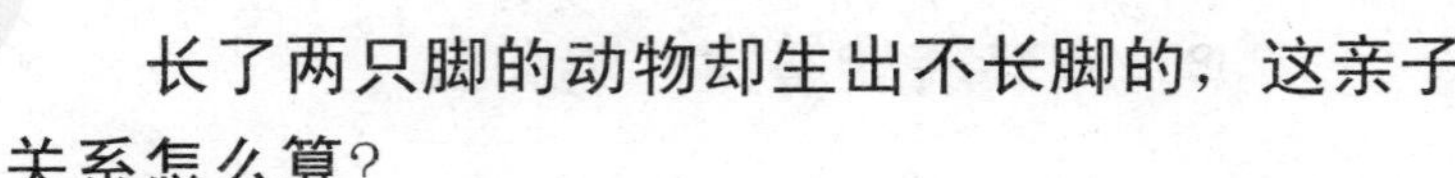

长了两只脚的动物却生出不长脚的，这亲子关系怎么算？

乌龟有脚，鱼没有脚；恐龙有脚，泥鳅没脚……它们的儿女有没有脚呢？

歇后语

蝙蝠的眼睛——目光短浅

◆转转转答案：鸡和蛋。

这样的话，鸭子、鹅、所有的鸟类都是“长脚的”生出“不长脚的”来。

有样东西是自己的，别人常用，而自己却很少用，那是什么呢？

我自己的东西凭什么不能常用？我就是要多用，不用白不用！

歇后语

宾馆里的地毯——老被人踩

◆转转转答案：是你的名字。

哇噻！我天天喊自己的名字，那不成了精神病人！

歇后语

扁担垫座——不是久留之客

开心豆昨晚花了九个小时在英语课本上，可为啥爸爸还是怪他不用功？

九个小时，太认真、太辛苦了吧？

扁担无钩——两头滑

◆**转转转答案：他将英语课本当枕头睡觉。**

是“看着看着”睡着的呢？还是当“警枕”（古人有拿木头当枕头用的，为了不让自己睡懒觉）用？

开心豆独自对着电扇吹，可为啥越吹汗越多？

这电扇风太小，要不电扇反转了，没风？还是……

歇后语

扁担挑木——心挂两头

扁担挑灯笼——两头明

◆转转转答案：开心豆在对电扇吹气。

哎哟！又上当了！开心豆是在练气功吗？

踩到什么比踩到大便更倒霉？

歇后语

冰糖蒸荔枝——甜透了

◆转转转答案：踩到地雷。

这倒是，还是保命最重要！

什么国家人们不想去但最终又不得不去？

他老爸、老妈都去了，不要去看望看望他们吗？

歇后语

冰凌上睡觉——浑身没点热气

◆转转转答案：天国。

去，当然总是要去的，就是去后回不来了，还是晚点儿去好。

用铁锤锤鸡蛋，为什么锤不破？

这是“铁公鸡”下的蛋吗？

歇后语

不拨灯不添油——省心（芯）

◆转转转答案：铁锤不会破。

"锤"当然"不破"啦，破的是鸡蛋，上当了！

什么河里行的船必须飞？

水上飞机？飞艇？还是……

歇后语

擦脂粉进棺材——死要面子

◆转转转答案：银河里的宇宙飞船。

那河里没有水，当然只能飞了，你想到了吗？

什么话是世界通用的呢？

世界语？英语？还有什么“话”呢？

歇后语

财神爷放账——无利可图

◆转转转答案：电话。

哇噻！出题的人真是赖皮！

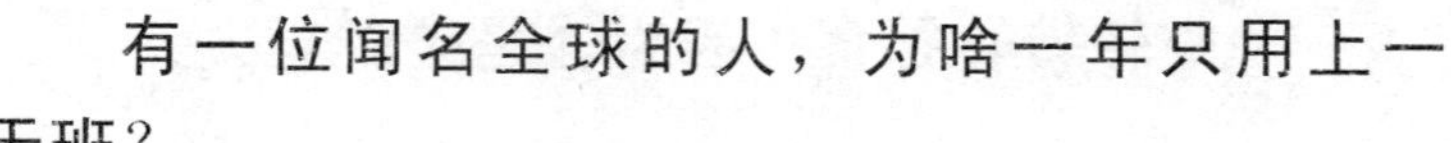

有一位闻名全球的人，为啥一年只用上一天班？

他平时在家里上班，一年去领一次工资？真舒服！

◆转转转答案：因为他是圣诞老人。

每年虽然一次，但自己领不到工资，反而要送好多礼物给小朋友哦！

歇后语

财神爷敲门——福从天降（天大的好事）

小王的肚子胀得受不了了，但他还是不停地喝水，为什么？

难道他是在梦里？

歇后语

醋泡的蘑菇——坏不了

◆转转转答案：正被水淹着。

歇后语

裁缝的尺子——量人不量己

真没办法，下次好好练游泳吧！

一只苍蝇突然掉在顾客的汤里，这下子谁最倒霉？

这下服务员要被经理开除了，至少要挨骂！

歇后语

裁缝做嫁衣——替旁人欢喜

歇后语

裁缝做衣——讲究分寸

◆转转转答案：苍蝇最倒霉！

人类太自私啦！不想想我们苍蝇是耐不了高温的！

老高知道问题的答案却不停地追问别人，为什么？

为什么要明知故问呢？这人是干什么的？

歇后语

裁缝做衣不用尺——自有分寸

◆转转转答案：他是考官。

如果回答是“老师”，也是对的。

歇后语

裁缝不带尺——存心不良（量）

你学会的英语单词越多，什么东西反而就越少了呢？

鸭蛋少了？爸爸的“麻栗子”少了，妈妈的唠叨少了，还有……

歇后语

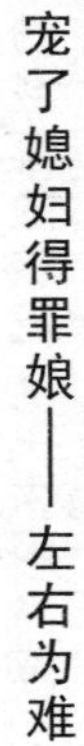

◆转转转答案：不认识的英语单词就越少了呀！

为什么不往好处去想呢？说不定你将来可以当英语专家呢！

平时开心豆家吃完饭都是爸爸洗碗，可今天爸爸为什么吃完饭却不洗碗呢？

今天妈妈洗过了……

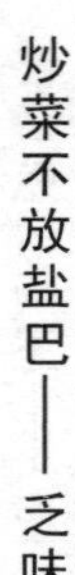

◆转转转答案：今天在饭馆吃的饭。

你猜对了吗？关键在于：不要上出题的人的当；不要想得太复杂。

蚊子咬在什么地方，你不会有任何感觉？

咬在头发上，咬在指甲上……啊哎！千万别咬我的眼皮……“啪”……

歇后语

程咬金做皇帝——当不得真

◆转转转答案：咬在别人身上。

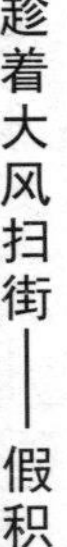

真是个幸灾乐祸的家伙，下次蚊子还要叮你眼皮！

小蜈蚣放学回家后对父亲说了一句话，父亲听后当场晕倒，究竟小蜈蚣说了什么？

蜈蚣又名“百脚”，你想想看……

搽粉上吊——死要脸

◆转转转答案：它说，我要买鞋子。

歇后语

搀水的老白干——没冲劲儿

要买一百双鞋！没那么多钱，你还是光脚吧！

怎样在不改变温度的情况下，使水迅速变成冰？

这可是个高科技、高智商的尖端难题！

歇后语

稻草人救火——自身难保

◆转转转答案：只要在“水”旁边加“冫”。

那么简单，我真笨！怎么没想起来呢？！

柴火上浇汽油——一点就着

有一头牛朝西走，又左转90度往前走，请问此时牛尾巴朝哪里？

千万别上当，简单一点，这个题太普通了……

歇后语

曹操杀华佗——讳疾忌医

◆转转转答案：朝下。

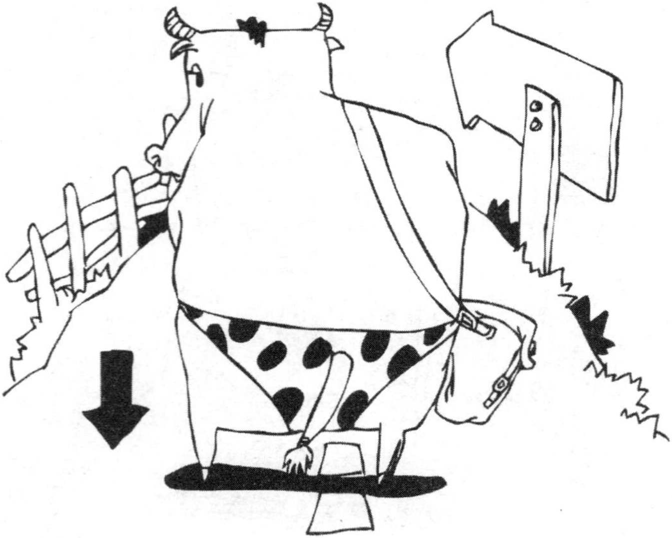

又错了？出题人准是个大骗子！下次再不上当了！

歇后语

菜园里的苦瓜——越老心越红

哭和笑有什么共同之处？

嘴都张开，眉毛在动，都能看见牙齿，还有……

歇后语

菜园里的辘轳——任人摆布

◆**转转转答案：“哭”字和“笑”字都是十划。**

除此之外就没有别的共同之处了吗？至少，它们都是汉字，都是一种表情……

两个人分 3 只苹果，但不能对切，怎样才分得最公平？

先一人一个，另一个苹果，你咬一口，我咬一口……注意！嘴巴小的人先咬……

歇后语

唱戏的穿龙袍——成不了皇帝

◆转转转答案：打成苹果汁再分。

这当然很公平，但我不喜欢吃苹果汁！快把苹果汁“打”回去，重分！

什么东西不需要土壤就能“破皮而出，茁壮成长”？

发豆芽？蘑菇？还是……

船头办酒席——难铺排

◆转转转答案：胡须。

歇后语

船板做棺材——漂流了半辈子，老来才成（盛）人

小伙子，真酷！这才是真正的“破皮而出！”

新的手套怎么两只都有一个大洞？

质量真差！退货！我去退过了，营业员说这是流行到现在的永久性款式，不让退……

船到桥头——不顺也得顺

◆转转转答案：要是没洞，手怎么进去呢？

出题的人真赖皮！这也是“洞”吗？那么鞋子、袜子上都有“洞”。

满满一杯水怎样才能喝到杯底的水？

这是常识，谁不知道？居然也算是题目？

彩虹和白云谈情——一吹就散

◆转转转答案：用吸管。

你猜到了吧？（这个问题，虽然简单，但有些人会想到复杂的地方去。）

什么会刚开始就可以走了？

开会要讲究效率，要开短会，越短越好啦！

歇后语

葱头不开花——装什么蒜

◆转转转答案：再会。

那么，下次开“再会”时再会吧！

歇后语

葱叶炒藕——空对空

什么东西呆在角落里不动，也能走遍全世界呢？

好事不出门，坏事传千里。

◆转转转答案：邮票。

现在除了邮票，E-mail（电子邮件）也能走遍全世界啦！

生病打针时，身体的哪个部位感到最痛苦？

怕！怕！我哪个位置都感到痛苦！

歇后语

踩着西瓜打球——能推就推，能滑就滑

◆转转转答案：体内的病菌最痛苦！

这是什么药水？这饮料这么“苦”啊，痛死我了！

歇后语

踩着麻绳当蛇——大惊小怪

谁最善于咬文嚼字？

孔子？老子？庄子？老夫子？这子那子，还有我爷爷……还有……

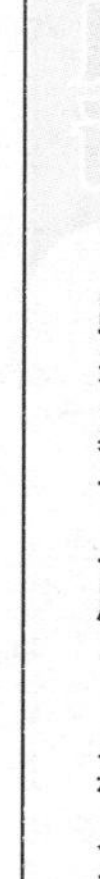

◆转转转答案：书蛀虫。

哇噻！都赶不上它，这可是咬文嚼字大王哦！

苍蝇嘴巴狗鼻子——真灵

一只凶猛的饿猫，看到老鼠，为何却拔腿就跑？

这是只巨鼠？比猫还大？

◆转转转答案：因为猫去抓老鼠。

歇后语

苍蝇找屎壳郎做亲——臭味相投

这画漫画的家伙真讨厌！老是骗人！

什么蛋中看不中吃？

皮蛋？彩蛋？松花蛋？凤凰蛋？鹅蛋？恐龙蛋？……王八蛋？

歇后语

苍蝇飞进花园里——装疯（蜂）

◆转转转答案：漂亮的脸蛋。

不是有一句成语叫“秀色可餐”吗？原来是画饼充饥啊！

五岁的小胖老是喜欢把家里的闹钟弄坏，可妈妈为什么总是叫不会修钟表的爸爸来修理？

修理修理！这“修理”两字可不简单！

苍蝇放屁——吓谁哩

◆转转转答案：妈妈是让爸爸修理小胖。

干吗要“修理”人？我把闹钟拆开是想看看里面有什么秘密，呜呜……

小伟去打针，当针头还没扎在屁股时，他已哇哇大叫，为什么？

他想把“痛”先叫出来，针再扎下去就来不及“痛”了！

歇后语

苍蝇给牛牯抓痒——无济于事

歇后语

苍蝇掉在酱盆里——糊里糊涂

◆转转转答案：针打在手臂上。

哦，原来是这么回事，痛”还是没跑掉……真可惜！

什么人可以穿许多漂亮衣服而不用付钱？

女生对这个问题一定很感兴趣哦！

歇后语

苍蝇碰上蜘蛛网——有去无回

歇后语

草帽烂了边——顶好

◆转转转答案：模特儿。

我长大了一定要当模特儿！当演员也一样！

用什么拖地才能把脏的地方拖干净？

用洗洁精！用地板腊！用板刷使劲刷，用……

歇后语

草帽当锣打——响（想）不起来

◆转转转答案：用力。

谁不知道“用力”，不用力行吗？出题的人真是个赖皮！

五个小朋友在游泳池游泳，游了一阵，开心宝数了数，发现少了一个，忙向老师报告，老师却说没有少，是什么原因呢？

歇后语

厕所里挂绣球——配不上

◆转转转答案：开心宝忘了数自己。

歇后语

厕所里照镜子——臭美

又是一个骑驴找驴的笨驴！人有时常常会把自己"丢掉"了。

豆腐砸在人的头上，为什么头上也会起个大包？

这能怪我的头不抗砸吗？只能怪现在的豆腐太硬啦！

歇后语

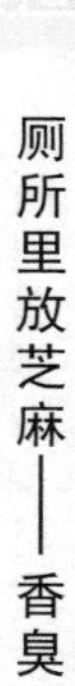

◆转转转答案：那是冰豆腐。

歇后语

厕所里搭棚——臭架子

人头怎么能跟“砖头”较劲？我真是个大傻瓜！

阿夏被两只蚊子咬了一个大包和一个小包，请问较大的包是公蚊子咬的还是母蚊子咬的？

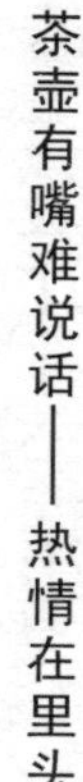

这是生活常识问题。

可以先看看《十万个为什么》。

◆转转转答案：母蚊子咬的，因为公蚊子不咬人。

哦，原来是这么回事！

歇后语

茶壶煮饺子——心中有数

什么东西越洗越脏？

煤球？ 木炭？ 还有……总不见得是我的脸吧？

歇后语

茶壶里煮挂面——难捞

◆转转转答案：水。

茶壶里煮元宵——满腹心事（食）

世界上有什么东西可以以每小时两千公里的速度载着人向前奔跑而且不必加油或用燃料？

有这么快吗？别是做梦吧？

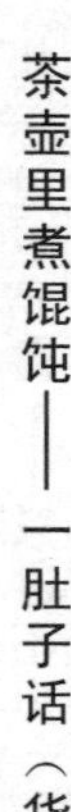

◆转转转答案：地球。

这是地球自转的速度，我们每天都坐着地球在银河中旅行。

玲玲是个温柔的女孩，为什么竟敢吃掉师傅？

一日为师，终生为父，你胆子也太大了！

歇后语

茶壶打掉把儿——只剩一张嘴了

茶馆里招手——胡（壶）来

◆转转转答案：她吃的是“康师傅”。

哇噻！你吃得越多，厂家越是高兴！

什么水果没吃时是绿色，吃时是红色，吐出来是黑色？

这是一种常见的水果，你一定猜出来了……

歇后语

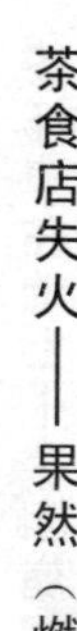

◆转转转答案：西瓜。

我除了西瓜藤和西瓜叶子不吃，连皮带子一块儿吃啦！那你拉出来的是黑色。

歇后语

茶杯掉在地上——净崩词（瓷）

一条毛毛虫它若不借助任何工具，怎样才能渡过小河？

等等，再等等，等我做一个会飞的美梦吧！

◆**转转转答案：等它变成蝴蝶后飞过小河去。**

歇后语

岔路上分手——各奔前程

梦想成真！我是一只美丽的大蝴蝶！

小科学家把三支正在燃烧的蜡烛平衡地放在木板上。三支蜡烛燃烧的速度都一样，最后木板会向哪边倾斜？

没有刮风也没有下雨，一切都很正常……

歇后语

拆庙散和尚——各奔东西

◆转转转答案：继续保持平衡。

歇后语

铲子切菜——不地道（抵刀）

正常的情况，你就不要去钻“牛角尖”，一切问题也就正常解决了。

“健康歌”有多少字？

多少字？我来唱一唱，数一数，一、二、三、四、五、六、七……

常走泥泞路——不怕栽跟头

◆转转转答案：只有“健”、“康”、“歌”三个字。

哇塞！是歌名不是歌词哎！

大力士有一件什么东西永远举不起来？

他举不起地球！

歇后语

长白山的大雪——满天飞

◆转转转答案：他自己。

对付别人、对付敌人容易，对付自己就难啦。人往往发现不了自己……

玻璃杯不是木头做的，可为什么“杯”字是“木”字旁？

古代没有玻璃，杯子用木头做的，怕小孩摔坏嘛！

歇后语

长城上的砖——不知经过多少风雨

◆转转转答案："木"字旁的右边是"不"字，那就不是木头做的啦！

哇噻！写在旁边我怎么看不见？我真是木头脑袋！

小刚英语很好，但第二天考试还是不及格，为什么？

考试时小刚头疼，看错题了，还是……

长竹竿进巷道——直来直去

◆转转转答案：因为第二天考数学。

歇后语

长虫过街——莽（蟒）行

天哪！我这几天复习的是英语哎！

怎样让四减一等于五？

动手试一下吧，在纸上很容易就做出来！

歇后语

长衫改夹袄——取长补短

◆转转转答案：把一张四个角的正方形纸剪去一个角。

你想到了吗?
（没有剪刀也能做，撕去一只角嘛！）

歇后语
长丝瓜当扁担——不晓得软硬

老外的什么东西比中国人长得多？

歇后语

毛豆烧豆腐——碰上自家人

老外的个子比中国人长，别的么，还有……

◆转转转答案：名字。

一般西方人的名字以及阿拉伯、日本人的名字比中国人长一点。但古代中国人的名字也有长的哦！诸葛亮姓诸葛，名亮，字孔明，号卧龙……

把火熄灭的最快方法是什么？

用水，一下子找不到水桶；灭火器坏了；用沙子？找不到铁锹……

歇后语

唱戏的吹胡子——假生气

歇后语

唱戏的喝彩——自吹自擂

◆转转转答案：火上加一横。

这么简单我怎么没想到？我真是一条大黄瓜！

为什么小刚能一只手让车子停下来？

他有气功啦，要不……他是警察？

◆转转转答案：因为他在叫出租车。

一招手就停，真比警察还管用！

唱戏的转圈圈——走过场

口吃的人做什么事最吃亏？

比别人多说话，还要浪费很多表情！

歇后语

朝天放枪——空响（想）

◆转转转答案：打国际长途电话。

还是写下来发电报吧！也可以发个传真、伊妹儿什么的。

什么破了比不破要好？

牛仔裤破了多“酷”！

嗓子破了嘛可以去当流行歌星！

歇后语

炒了的虾仁——红透了

◆转转转答案：破案。

车道沟里的泥鳅——掀不起大浪

这倒是，案子“破”得越多越光荣。

电和闪电最大区别是什么？

一个在电线里跑，一个在空中跑，还有……

歇后语

车轮子没轴——转不开

◆转转转答案：一个收费，一个不收费。

我倒是想付费用闪电，功率大，成本低，可怎么把它引下来呢？

有一个人被关在屋里，只有一扇门，但无法拉开。请问他如何出来？

歇后语

扯旗杆放炮——生怕别人不知道

◆转转转答案：把门推开。

当你碰到一道难题，突破一个难关，当正面的方法无用时，你不妨反过来试一试！

明明带了20元钱去买一件15元的衬衫，但老板却没给他找钱，为什么？

难道有一张是假币？还是……

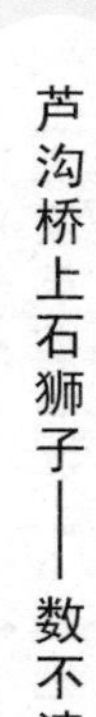

◆转转转答案：他只给老板15元。

还有五元钱是不是买冰淇淋吃掉了？

永远也写不好的字是什么字？

坏了！笔有毛病？纸上有油，还是……

歇后语

城隍庙里的小鬼——老瞪眼睛，不开腔

歇后语

城隍庙里摆菩萨——站就站一生，坐就坐一世

◆转转转答案：“坏”字。

刚说“坏了”，我怎么还是没想到这个“坏”字？

如果我有2个头，3条腿，6只眼睛，你猜我是什么人？

歇后语

城头上出殡——绕一个大弯

◆转转转答案：吹牛的人。

人总是要有理想的嘛，想像力和“吹牛”的差别在哪里呢？

世界上最洁净的“球”是什么球？

玻璃球？ 水球？ 眼球？ 气球？ 月球……

歇后语

秤砣掉在棉被上——没有回音

歇后语

吃完饭就砸锅——不干了

◆转转转答案：卫生球。

我怎么没想到？真想给自己丢一个“卫生球”！

老师在黑板上写上“1 2 3”，然后问同学们：“这个数能被除尽吗？”

就看你怎么个“除”法了！

歇后语
吃烧饼掉芝麻——免不了

◆转转转答案：用黑板刷就能除尽。

哇噻！这也是“赖皮急转弯”！

歇后语

吃着碗里瞧着锅里——贪婪

用鸡蛋碰石头，为什么鸡蛋却没有碎？

这是一个熟鸡蛋？假鸡蛋？还是……

歇后语

吃了黄连吃甘草——先苦后甜

◆转转转答案：没碰着。

因为你没碰着，所以我也没有猜对！

歇后语

吃了对门谢隔壁——错了

苹果从树上掉下来后，牛顿说的第一句话会是什么呢？

我发现万有引力定律啦！

吃了筐烂杏——心酸

歇后语

吃了一包回形针——满肚子委屈（曲）

◆转转转答案：“唉哟！”

许多伟大的发现，最初时并不伟大，就如“唉哟”一样。

什么样的人才会一鸣惊人？

哑巴说话，聋子唱歌，瞎子发现了又一个地球……

吃了鱼钩和牛打架——勾心斗角

◆转转转答案：射击手。

吃了三碗红豆饭——满肚子相思

哇塞！这枪声真让我吓一跳！

小宝采取了各种措施，终于让温度计降到最低，可屋里为什么照样很热？

温度计感冒了，它在发烧吧？

◆转转转答案：小宝只是把温度计降到了地上。

把温度计放到冰箱里去吧，温度还能降到零度呢！

一个长方体的盒子有几个面？

有大排面、牛肉面、海鲜面、炸酱面……

歇后语

吃曹操的饭，想刘备的事——人在心不在

◆转转转答案：两个，里面和外面。

长方体应该有六个面。如果分里面和外面的话，“里面”和“外面”各有六个面。

歇后语

吃辣的送辣椒，吃甜的送蛋糕——投其所好